Robin
DES BOIS

Voici l'histoire de Robin des bois.

Un jour, alors qu'il voulait traverser un pont, un grand gaillard lui bloqua le passage. Une lutte amicale au bâton s'en suivit jusqu'à ce que Robin tombe à l'eau. Le géant, appelé Petit Jean, se joignit ensuite à la bande de Robin.

Peu après, Robin des bois, Petit Jean et Will Scarlet étaient assis à l'ombre d'un chêne, en bordure de la forêt de Sherwood. Petit Jean leur raconta qu'il avait entendu parler d'un moine qui était un habile archer.

– Il peut atteindre une cible à 500 mètres, affirma-t-il, alors qu'un homme trapu en soutane s'approchait d'eux, de l'autre côté de la rive.

– **B**onjour, lança Robin des bois. Êtes-vous le frère Tuck ?

– C'est bien moi !

– J'ai entendu dire que vous saviez manier un arc et une flèche. Venez donc me chercher et ensuite nous traverserons. Ainsi, hors de la forêt, vous pourrez me montrer à quel point vous visez bien.

Après un moment d'hésitation, le frère
Tuck s'engagea dans le cours d'eau. Il prit
Robin sur ses épaules. Au milieu du ruisseau,
il perçut un mouvement du coin de l'œil. Vite
comme l'éclair, il sortit une flèche de son
carquois et, du coup, renversa Robin. Le moine
visa et décocha une flèche en plein dans le
cœur d'un chevreuil royal. Pas de chance !

Pour échapper à un éventuel châtiment, le frère Tuck se cacha dans la forêt de Sherwood, avec les compagnons de Robin, ainsi que dame Marianne.

La bande volait aux riches pour donner aux pauvres et protégeait les villageois du cruel shérif de Nottingham.

Ce jour-là, le shérif quitta son château sous escorte. Il transportait un coffre rempli d'or et de bijoux. Le shérif croyait à tort que son trésor était bien gardé, car, soudainement, des douzaines d'hommes surgirent devant le cortège et dérobèrent non seulement le coffre, mais les armures et les épées des chevaliers.

Au cours d'un banquet,
le shérif de Nottingham
prépara sa revanche.
Il attirerait Robin au
château en organisant
un tournoi d'archers.
Comme Robin était de loin
le meilleur du royaume,
le shérif n'aurait alors
aucun mal à l'identifier et
à le faire enfin capturer.

Le lendemain matin, Petit Jean trouva un parchemin cloué à un arbre. Étant donné qu'il ne savait pas lire, il le montra à dame Marianne et à Robin.

– Tiens, il va y avoir un tournoi d'archers. Et le prix sera de mille pièces d'or, dit Marianne.

Robin pensa que c'était sans doute trop beau pour être vrai.

Robin des bois et sa bande s'entraînèrent pour être bien préparés à l'événement.

Le jour du tournoi, les hors-la-loi déguisés en paysans et en villageois pénétrèrent dans l'enceinte du château. Robin, quant à lui, se fit passer pour un noble.

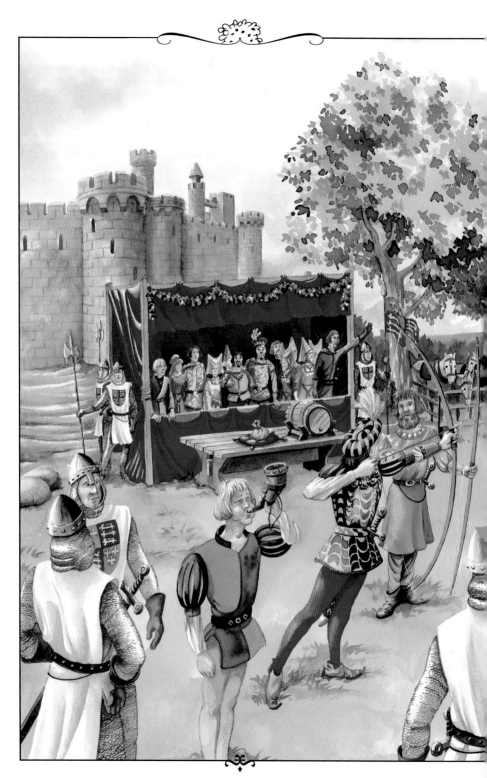

Tandis que le tournoi tirait à sa fin, le noble inconnu fit son entrée. Tout le monde se tut lorsque le nouveau participant s'avança au son du cor de chasse. Ffffft! La flèche alla fendre en deux celle du meilleur tireur.

– Arrêtez cet homme ! cria le shérif
de Nottingham.

Les gardes coururent vers Robin, en même temps que toute la bande. En retirant leurs déguisements, ils dévoilèrent leurs épées et leurs flèches. Pendant la bataille, Robin s'empara de l'or et s'enfuit dans les bois.

La joyeuse bande rejoignit Robin des bois et Marianne dans un pré à l'orée de la forêt de Sherwood. Tous se préparèrent à distribuer les mille pièces d'or qui viendraient en aide aux villageois et aux paysans pendant très longtemps.